만점왕 알파북

어휘편

6-2

본 알파북은 **어휘력 향상**에 도움이 될 만한

사자성어 와 **속담**으로 구성하였습니다.

예시를 통해 의미를 파악할 수 있도록 제시하였으며,

학습한 내용은 연습과 문제를 통해 확인해 볼 수 있습니다.

만점왕 알파북 어휘편으로 재미있게 어휘 능력을 키워 보세요!

차례

차례

속담

사자성어

와, 양들이 **거재두량**으로 많다!

거재두량

車 載 斗 量

수레 거   실을 재   말 두   헤아릴 량

물건이나 사람 등이 수를 헤아릴 수 없을 정도로 많아서 그다지 귀하지 않다는 건을 의미해요.

촉나라의 유비가 오나라의 손권을 공격하려 했을 때의 일이에요.

손권은 촉나라의 공격에 대항하기 위해 도움을 청하려고 위나라에 조자를 보냈답니다. 하지만 위나라의 임금 조비는 조자를 거만한 태도로 대했어요. 조자는 꿋꿋이 오나라의 자존심을 굽히지 않고 조비를 설득했지요. 그 노력에 이윽고 조비는 태도를 바꾸어 조자에게 물었어요.

"오나라에는 당신과 같은 훌륭한 인재가 얼마나 있는가?"

"저와 같은 사람은 수레로 실어 내어 말(곡식, 액체, 가루 따위의 분량을 잴 때 쓰는 그릇.)에 담을 정도로 많습니다."

그리고 마침내 오나라와 위나라, 두 나라는 동맹을 맺게 되었답니다.

이렇게 사용해요! 도서관에는 공부하는 사람들이 거재두량으로 많다.

따라 쓰며 사자성어를 익혀요!

車	車				
수레 거	수레 거				
載	載				
실을 재	실을 재				
斗	斗				
말 두	말 두				
量	量				
헤아릴 량	헤아릴 량				

車	載	斗	量	車	載	斗	量

사자성어 **2**

고침안면

高枕安眠

높을 고 베개 **침** 편안할 **안** 잠잘 **면**

베개를 높이 베고 편안히 잠을 잘 만큼 아무런 걱정이 없다는 걸 의미해요.

전국 시대에 진·초·연·제·한·위·조, 이렇게 일곱 나라가 서로 맞서고 있었어요. 이때 위나라의 재상인 장의는 일곱 나라 중 가장 강한 진나라에게 위나라를 포함한 여섯 나라를 넘길 생각이었답니다. 때마침 진나라 군대가 위나라의 서쪽에 있던 한나라를 공격해 멸망시켜 버렸어요. 위나라의 애왕은 불안에 떨었지요. 장의는 애왕에게 이렇게 말했어요.

"전하, 진나라를 섬긴다면 우리 위나라를 노리던 초나라와 한나라가 감히 침략해 올 수 없을 것입니다. 그렇다면 전하께서도 걱정 없이 베개를 높이 베고 편안히 주무실 수 있겠지요."

장의의 이 말에서 '고침안면' 이라는 말이 생겨났어요.

이렇게 사용해요! 민주는 피아노 연주회가 끝나고 나서야 고침안면 할 수 있었다.

따라 쓰며 사자성어를 익혀요!

高	高				
높을 고	높을 고				
枕	枕				
베개 침	베개 침				
安	安				
편안할 안	편안할 안				
眠	眠				
잠잘 면	잠잘 면				

高	枕	安	眠	高	枕	安	眠

고복격양
鼓腹擊壤
두드릴 고　　배 복　　칠 격　　흙 양

배를 두드리고 발로 땅을 치며 흥겨워한다는 뜻으로, 아무 걱정 없이 평안한 세상을 가리키는 말이에요.

역사적으로 백성들이 가장 평화롭게 살았다는 요나라 때의 일이에요. 임금은 백성들이 어떻게 지내는지 살펴보기 위해 평범한 복장으로 갈아입고 마을로 갔어요. 임금은 한 노인이 마을 어귀에서 많이 먹어 불룩 나온 배를 두드리고 발로 땅을 치며 노래를 부르는 것을 보았어요. 그는 이렇게 노래를 부르고 있었어요.

"해가 뜨면 일을 하고 해가 지면 쉬네. 밭을 갈아 먹고 우물을 파서 마시니, 임금의 힘이 내게 무슨 소용이 있을까!"

백성들이 임금이나 정치를 생각하지 않고 사는 것이 태평성대라고 생각했던 임금은 이 노래를 듣고 만족스러워하며 돌아갔어요.

이렇게 사용해요! 사람들은 고복격양의 시대가 곧 올 것이라고 믿었다.

鼓	鼓				
두드릴 고	두드릴 고				
腹	腹				
배 복	배 복				
擊	擊				
칠 격	칠 격				
壞	壞				
흙 양	흙 양				

鼓	腹	擊	壞		鼓	腹	擊	壞

곡학아세

曲學阿世

굽을 곡   학문 학   아부할 아   세상 세

출세하기 위해 학문을 굽히고 세상에 아첨하는 것을 의미해요.

한나라의 무제는 당시 높은 학문과 강직한 성품으로 유명했던 원고생이라는 학자를 불러들였어요. 원고생은 아흔이 넘은 나이였지만 지혜로웠어요. 공손홍이라는 젊은 학자는 원고생이 나이가 많으니 정치에 대해서 알면 얼마나 아느냐고 하면서 무시했어요. 하지만 원고생은 공손홍의 태도에 아랑곳하지 않고 진심으로 말했어요.

"요즘 학문이 도를 잃고 거짓 학설만이 판을 치고 있어 걱정스럽구려. 자네는 부디 바른 학문을 익혀 세상에 널리 전하도록 하게. 결코 학문을 왜곡하여 세상에 아첨하는 일이 있어서는 안 되네."

공손홍은 이 말을 듣고 크게 뉘우쳐 원고생에게 자신을 제자로 받아 달라고 부탁했어요.

이렇게 사용해요! 개인적인 이익을 위해 곡학아세를 해서는 안 된다.

따라 쓰며 사자성어를 익혀요!

曲	曲				
굽을 곡	굽을 곡				
學	學				
학문 학	학문 학				
阿	阿				
아부할 아	아부할 아				
世	世				
세상 세	세상 세				

曲	學	阿	世		曲	學	阿	世

사자성어 5

남귤북지

南 橘 北 枳

남녘 남　귤 귤　북녘 북　탱자 지

사람은 처한 상황에 따라 선해질 수도 있고 악해질 수도 있음을 의미해요.

제나라에 안영이라는 재상이 초나라에 사신(임금의 명령으로 일정한 임무를 갖고 외국에 나가는 신하.)으로 갔을 때의 일이에요. 초나라 임금과 안영이 대화를 나누고 있는데 옆에서 병사들이 죄수를 끌고 지나갔어요. 임금이 무슨 일이냐고 물었더니 병사는 죄수가 제나라 사람이고, 도둑질을 했다고 답했어요. 그 말을 들은 임금은 안영에게 말했습니다.

"제나라 사람은 원래 도둑질을 잘 하나 보군."

그러자 안영이 다음과 같이 답했어요.

"회수 지방 남쪽에 있는 귤나무를 회수 지방 북쪽 땅에 옮겨 심으면 탱자나무가 됩니다. 이는 토질의 차이 때문이지요. 제나라 사람들은 본래 도둑질이 무엇인지조차 모르고 사는데 초나라에 와서 도둑질을 한다니 이것은 초나라의 풍토 때문이 아니겠습니까?"

 이렇게 사용해요! 남귤북지라는 말처럼 사람은 어떤 환경에서 지내는지가 중요하다.

따라 쓰며 사자성어를 익혀요!

南	南				
남녘 남	남녘 남				
橘	橘				
귤 귤	귤 귤				
北	北				
북녘 북	북녘 북				
枳	枳				
탱자 지	탱자 지				

南	橘	北	枳

南	橘	北	枳

다기망양

多岐亡羊

많을 다   갈림길 기   잃을 망   양 양

여러 갈래의 길 때문에 양을 잃어버린다는 뜻으로, 학문이 여러 갈래로 나뉘어 있어 진리를 찾기 어렵다는 의미예요.

옛날 중국에 양자라는 학자가 있었어요. 어느 날 양자의 이웃집에서 키우던 양 한 마리가 달아나는 일이 벌어졌어요. 모두가 온 동네를 뒤졌지만 찾을 수 없었답니다.

양자는 양을 찾지 못했다는 소식에 몹시 우울한 표정을 지었어요. 제자들은 몹시 의아했지요. 이웃집 양이 도망간 것이 양자의 탓도 아닌데 표정이 좋지 않으니 그럴 수밖에요. 결국 궁금증을 참지 못한 한 제자가 양자에게 표정이 좋지 않은 이유를 물었습니다. 그러자 양자는 이렇게 대답했어요.

"큰길에 갈림길이 많아 양을 찾지 못한 것처럼, 학자는 여러 갈래로 나뉜 학문을 배우기 때문에 올바른 진리를 찾기 어렵지. 그 생각을 했더니 마음이 무거워져 표정이 절로 어두워지더구나."

이렇게 사용해요! 선생님께서는 다기망양이라는 말처럼 학문이 갈래갈래 나뉘어 있어 진리를 찾기 힘들다고 말씀하셨다.

따라 쓰며 사자성어를 익혀요!

多 많을 다	多 많을 다				
岐 갈림길 기	岐 갈림길 기				
亡 잃을 망	亡 잃을 망				
羊 양 양	羊 양 양				

多	岐	亡	羊	多	岐	亡	羊

배중사영
杯 中 蛇 影
잔 배　가운데 중　뱀 사　그림자 영

> 술잔 속의 뱀 그림자라는 뜻으로, 부질없이 걱정하고 의심하는 태도를 의미해요.

진나라의 악광에게 친한 친구가 있었는데 언제부터인가 그가 자신의 집에 찾아오지 않는 거예요. 그래서 악광이 물었더니 친구가 대답했어요.

"내가 저번에 자네 집에 찾아가 술 한 잔 나누었을 때에 잔 속에 뱀이 있는 것이 아닌가. 하지만 자네가 무안해할까 봐 그냥 마셨네. 그랬더니 그때부터 몸이 영 좋지를 않아서……."

악광은 의아해하며 그날 친구와 함께 술을 마신 장소로 가 봤어요. 도대체 뱀을 어디에서 봤을까 생각하며 두리번거리던 그의 눈에 벽에 걸린 활이 눈에 띄었어요. 활을 자세히 보니 뱀이 그려져 있는 거예요. 그는 친구가 말했던 뱀의 정체를 알게 되었답니다.

악광은 바로 친구를 집으로 불러 뱀이 그려진 활을 보여 주며 그날 친구가 보았던 뱀의 실체를 이야기해 주었어요. 그랬더니 친구의 병이 씻은 듯이 나았답니다.

이렇게 사용해요! **배중사영**이라더니 내 동생은 백설공주를 읽고 나서 독이 든 것일까 봐 사과를 먹지 않았다.

따라 쓰며 사자성어를 익혀요!

杯	杯			
잔 배	잔 배			
中	中			
가운데 중	가운데 중			
蛇	蛇			
뱀 사	뱀 사			
影	影			
그림자 영	그림자 영			

杯	中	蛇	影	杯	中	蛇	影

비육지탄

髀肉之嘆

넓적다리 **비**　고기 **육**　어조사 **지**　탄식할 **탄**

자신의 재주를 발휘할 기회 없이 시간만 흐르는 현실을 탄식할 때에 쓰는 말이에요.

유비가 촉나라 황제가 되기 전 친척 유표에게 신세를 질 때의 일이에요. 유비는 유표와 함께 술을 마시다가 잠시 자리를 비웠어요. 유표 혼자 술잔을 기울이고 있는데, 유비가 울어서 빨개진 눈으로 돌아왔어요. 그 얼굴을 본 유표가 유비에게 무슨 고민이 있는지 물었더니 유비가 대답했어요.
"저는 지금까지 항상 말을 타고 전쟁터를 누비느라 넓적다리에 살이 붙을 틈이 없었습니다. 그런데 요즘 능력을 발휘할 기회가 없어 계속 놀기만 했더니 넓적다리에 살이 올랐더군요. 이제 저도 쉰에 가까운 나이이니 어서 공을 세워 천하에 이름을 알려야 할 텐데요."
유비의 이 말에서 '비육지탄'이라는 말이 생겨났어요.

이렇게 사용해요!　현수는 다리를 크게 다쳐서 몇 개월 째 출전을 못하고 비육지탄만 했다.

髀	髀				
넓적다리 비	넓적다리 비				
肉	肉				
고기 육	고기 육				
之	之				
어조사 지	어조사 지				
嘆	嘆				
탄식할 탄	탄식할 탄				

髀	肉	之	嘆	髀	肉	之	嘆

송양지인

宋 襄 之 仁

송나라 송   도울 양   어조사 지   어질 인

오히려 자기가 피해를 입을 만큼 쓸데없이 베푸는 인정을 의미해요.

송나라는 정나라 · 초나라 연합군과 큰 전투를 치렀어요. 전투 중에 송나라의 목이는 강을 건너는 초나라 군사들을 보며 반쯤 건너왔을 때 공격을 하자고 했어요. 하지만 송나라의 양공은 남의 약점을 이용하는 것은 군자가 할 일이 아니라며 반대했어요. 그렇게 송나라 군대는 초나라 군대를 무찌를 좋은 기회를 놓치고 말았답니다. 잠시 후, 초나라 군대가 강을 다 건너왔어요. 하지만 아직 전투태세를 완전히 갖추지 못한 상황이었답니다. 그 모습을 본 목이가 다시 이 틈에 공격하자고 제안했어요. 하지만 양공은 싸움은 같은 조건으로 해야 한다며 또다시 거절했답니다. 결국 송나라는 완전히 패하고 말았어요. 양공의 불필요한 인심 때문에요.

이렇게 사용해요! 아무리 마음씨가 좋아도 손해를 보면서까지 송양지인 하지는 말아야 한다.

따라 쓰며 사자성어를 익혀요!

宋 송나라 송	宋 송나라 송			
襄 도울 양	襄 도울 양			
之 어조사 지	之 어조사 지			
仁 어질 인	仁 어질 인			

宋	襄	之	仁	宋	襄	之	仁

아비규환
이로구나!

아비규환

阿鼻叫喚

언덕 아   코 비   부르짖을 규   부를 환

지옥 같은 비참한 상황에서 울며 몸부림치는 건을 의미해요.

불교에서는 죄의 종류에 따라 가게 되는 지옥이 달라져요. 지옥의 종류에는 여덟 가지가 있는데, 그중 하나인 아비지옥은 다섯 가지 이상의 큰 죄를 짓거나 절 또는 탑을 무너뜨리는 등의 죄를 지은 사람이 가는 지옥이라고 해요. 그곳에 가면 몸이 부서지고 살갗이 찢기는 등의 고통을 끊임없이 받아야 한대요. 여덟 지옥 중 또 다른 하나인 규환지옥은 살생이나 절도 등의 죄를 지은 사람이 가는 지옥이래요. 그곳의 죄인들은 펄펄 끓는 가마솥이나 시뻘건 불구덩이 속으로 들어가는 벌을 받는데 매우 고통스러운 벌을 받는 만큼 죄인들은 울며 몸부림친다고 합니다. 이 두 지옥의 이름에서 '아비'와 '규환'을 따서 '아비규환'이라는 사자성어가 생겨났어요.

이렇게 사용해요! 사고 현장은 신음하는 부상자들과 울부짖는 피해자 가족들로 **아비규환**이었다.

따라 쓰며 사자성어를 익혀요!

阿	阿				
언덕 아	언덕 아				
鼻	鼻				
코 비	코 비				
叫	叫				
부르짖을 규	부르짖을 규				
喚	喚				
부를 환	부를 환				

阿	鼻	叫	喚	阿	鼻	叫	喚

여도지죄

餘桃之罪

남을 여 복숭아 도 어조사 지 허물 죄

같은 행동이라도 사랑을 받을 때와 미움을 받을 때 각기 다르게 받아들여질 수 있다는 의미예요.

위나라의 미자하는 아름다운 외모 덕에 왕의 총애를 듬뿍 받았어요. 어느 날 미자하는 어머니가 병으로 위독하다는 소식을 듣고 급한 마음에 허락도 없이 왕의 수레를 타고 집에 갔어요. 그런데 왕은 미자하를 칭찬했어요. 벌을 받는 것도 잊어버릴 만큼 어머니를 걱정하는 마음이 곱다고 하면서 말이에요. 또 어느 날은 미자하가 복숭아가 맛있다며 먹던 것을 왕에게 내밀었어요. 신하들은 놀랐지만 왕은 맛있는 것을 나누어 주는 마음이 착하다며 오히려 미자하를 칭찬했어요.

시간이 흘러 왕의 총애가 줄어들 무렵, 미자하가 작은 죄를 짓자 왕은 크게 화를 내며 말했답니다. "이놈은 옛날에 내 수레를 허락 없이 탔으며, 먹다 남은 복숭아를 나에게 먹인 적도 있다. 이놈을 당장 잡아들여라!"

옛날의 총애가 오늘날의 큰 죄로 돌아온 거예요.

이렇게 사용해요! 여도지죄라더니 정아는 처음에는 그의 활발함에 반했다고 하더니 마음이 식은 지금은 그가 부산스러워서 싫다고 한다.

따라 쓰며 사자성어를 익혀요!

餘	餘			
남을 여	남을 여			
桃	桃			
복숭아 도	복숭아 도			
之	之			
어조사 지	어조사 지			
罪	罪			
허물 죄	허물 죄			

餘	桃	之	罪	餘	桃	之	罪

사자성어 12

자승자박

自 繩 自 縛

스스로 자 　 줄 승 　 스스로 자 　 묶을 박

> 자기의 줄로 자기 자신을 묶는다는 뜻으로, 자기가 한 말과 행동이 후에 자신을 곤란하게 만든다는 의미예요.

한나라의 원섭이라는 사람의 노비가 백정과 싸우다가 백정을 죽이고 말았습니다. 당시 그 고을의 태수(그 지방의 으뜸 벼슬.)였던 윤공은 노비 단속을 제대로 하지 못한 죄로 원섭을 죽이려고 했어요. 그러자 여러 사람들이 나서서 그의 의견에 반대했답니다.

"노비가 법을 어기는 것은 그 주인이 부족한 탓입니다. 하지만 그에게 웃옷을 벗고 스스로 몸을 묶어 법정에 나아가 사죄하도록 하는 것이 태수님의 위엄을 더 살릴 수 있는 방법입니다."

사람들의 말에서 '자승자박'이라는 말이 생겨났어요.

이렇게 사용해요!　남을 헐뜯는 말을 하는 것은 결국 **자승자박**이 될 것이다.

따라 쓰며 사자성어를 익혀요!

自	自			
스스로 자	스스로 자			
繩	繩			
줄 승	줄 승			
自	自			
스스로 자	스스로 자			
縛	縛			
묶을 박	묶을 박			

自	繩	自	縛

自	繩	自	縛

사자성어 ⑬

토사구팽

兎死狗烹

토끼 토　　죽을 사　　개 구　　삶을 팽

필요할 때에는 실컷 부려 먹다가 쓸모가 없어지면 헌신짝처럼 버릴 때에 쓰는 말이에요.

한나라의 황제 유방은 한신을 경계했지만 그가 한나라 건국에 큰 공을 세웠기 때문에 한신에게 초나라 제후의 자리를 주었답니다. 그때 유방은 적군인 종리매가 한신의 도움을 받아 초나라에 몸을 숨겼다는 사실을 알게 되었어요. 유방은 한신을 없애 버릴 계획을 세우고 제후들을 불렀어요. 한신은 유방의 계획을 눈치채고 불안했지만 유방에게 갔고, 그 소식을 들은 종리매는 스스로 목숨을 끊었어요. 한신은 유방에게 용서를 빌었지만 유방은 그를 밧줄로 꽁꽁 묶었어요. 그러자 한신은 억울한 마음에 이렇게 외쳤어요.

"토끼를 사냥하고 나면 사냥개를 삶아 먹고, 새를 다 잡고 나면 활을 감추며, 적국을 무찌르면 장수가 죽임을 당한다고 하더니 내가 딱 그 경우로구나!"

이렇게 사용해요! 전쟁 이야기를 읽다 보면 용맹한 장수들이 **토사구팽**을 당하는 경우가 많다.

따라 쓰며 사자성어를 익혀요!

兎	兎				
토끼 토	토끼 토				
死	死				
죽을 사	죽을 사				
狗	狗				
개 구	개 구				
烹	烹				
삶을 팽	삶을 팽				

兎	死	狗	烹	兎	死	狗	烹

어휴, 그렇게 포류지질 해서 어떻게 해.

포류지질

蒲柳之質

부들 포 버드나무 류 어조사 지 바탕 질

갯버들같이 연약한 체질을 가리킬 때에 쓰는 말이에요.

진나라에 고열지라는 사람이 있었어요. 그는 너무 열심히 일한 나머지 젊은 나이에 머리가 하얗게 세어 버리고 말았답니다. 어느 날, 황제가 고열지에게 물었어요.

"그대는 나와 나이가 같은데 어찌 벌써 머리가 하얗게 되었는가?"

그러자 고열지가 이렇게 대답했어요.

"가을이 되면 갯버들은 잎이 떨어지고, 소나무와 잣나무는 서리를 맞고 더욱 푸르게 우거지기 마련이지요."

자신을 갯버들로, 황제를 소나무와 잣나무로 비유하여 말한 것이에요. 고열지의 이 말에서 '포류지질'이라는 말이 생겨났답니다.

이렇게 사용해요! 현우는 포류지질 해서 딱 한 번 밤샌 것으로도 비실댔다.

蒲	蒲				
부들 포	부들 포				
柳	柳				
버드나무 류	버드나무 류				
之	之				
어조사 지	어조사 지				
質	質				
바탕 질	바탕 질				

蒲	柳	之	質	蒲	柳	之	質

호접지몽

胡蝶之夢

오랑캐 **호**　나비 **접**　어조사 **지**　꿈 **몽**

> 나비가 된 꿈이라는 뜻으로, 꿈과 현실을 구별할 수 없는 상태를 가리키는 말이에요.

어느 날, 장자는 꿈을 꾸었어요. 나비가 되어 꽃들 사이를 날아다니는 꿈이었어요. 아름다운 풍경 속에서 여유 있게 날아다니니 즐겁기 그지없었어요. 장자는 매우 행복했답니다. 그러다 갑자기 꿈에서 깬 장자는 어리둥절했어요. 분명 조금 전까지 나비의 몸으로 맑은 하늘을 날아다니고 있었는데, 갑자기 사람인 자신만이 덩그러니 남아 있어서요. 그때 장자는 이렇게 말했어요.

"내가 나비인가, 나비가 나인가?"

이 일화에서 '호접지몽' 이라는 말이 생겨났어요.

이렇게 사용해요!　잠에서 깨고 나니 호접지몽이라는 말처럼 꿈과 현실을 구별할 수 없었다.

따라 쓰며 사자성어를 익혀요!

胡	胡				
오랑캐 호	오랑캐 호				
蝶	蝶				
나비 접	나비 접				
之	之				
어조사 지	어조사 지				
夢	夢				
꿈 몽	꿈 몽				

胡	蝶	之	夢	胡	蝶	之	夢

메모

속 담

개미구멍으로 공든 탑 무너진다

조그마한 실수나 방심이 큰 손해로 이어진다는 의미예요.

이렇게 사용해요!

"개미구멍으로 공든 탑이 무너져 버렸어! 이 부분만 색칠하면 그림이 완성될 줄 알았는데 물감이 다 번지고 말았어."

더 알아보기

• **비슷한 속담**: 공든 탑도 개미구멍으로 무너진다

개천에서 용 난다

변변치 못한 환경에서 훌륭한 인물이 나온다는 의미예요.

이렇게 사용해요!

"이웃집 용이가 올림픽에서 금메달을 땄다는군. 개천에서 용이 났어!"

더 알아보기

• **비슷한 속담**: 개똥밭에 인물 난다

문제를 풀며 속담을 익혀요!

1 다음 속담의 빈칸에 알맞은 말을 써넣으시오.

(1) ( )으로 공든 탑 무너진다

(2) ( )에서 용 난다

2 다음 빈칸에 알맞은 속담을 고르시오. ( )

" '( ).' (이라)더니 대단해. 집안 형편이 좋지 않아서 새 운동화도 못 사 주었었는데 전국 체육 대회에서 상을 받았어!"

① 싼 것이 비지떡
② 개천에서 용 난다
③ 마파람에 게 눈 감추듯
④ 닭 쫓던 개 지붕 쳐다보듯
⑤ 개미구멍으로 공든 탑 무너진다

3 다음 상황에 어울리는 속담을 찾아 선으로 이으시오.

(1) 할머니께서 된장찌개를 맛있게 끓이고 계셨다. 그런데 마지막에 잠깐 딴생각을 하시다가 불을 안 끄고 너무 오래 끓여서 바짝 졸아 버렸다.

(2) 성희는 어려운 가정 형편에도 열심히 공부해서 훌륭한 변호사가 되어 유명해졌다.

• ① 개천에서 용 난다

• ② 돼지에 진주 목걸이

• ③ 도둑이 제 발 저리다

• ④ 말 안 하면 귀신도 모른다

• ⑤ 개미구멍으로 공든 탑 무너진다

긁어 부스럼

필요 없는 행동을 해서 공연히 일을 만든다는 의미예요.

이렇게 사용해요!

"괜히 긁어 부스럼 만들지 말고 찌개는 지금도 맛이 괜찮으니 더 이상 건드리지 마."

더 알아보기

• **비슷한 속담**: 아무렇지도 않은 다리에 침놓기

금강산도 식후경

아무리 재미있고 좋은 일이라도 배가 불러야 즐길 수 있지, 배가 고파서는 아무것도 느낄 수 없다는 의미예요.

이렇게 사용해요!

"금강산도 식후경이라고, 성산 일출봉을 오르기 전에 먼저 밥부터 먹자."

더 알아보기

• **비슷한 속담**: 꽃구경도 식후사

문제를 풀며 속담을 익혀요!

1 다음 속담의 빈칸에 알맞은 말을 써넣으시오.

(1) 금강산도 (   )
(2) 긁어 (   )

2 다음 상황에 알맞은 속담을 고르시오. (   )

> 난희는 공원에서 여름 풍경을 정성 들여 스케치를 했습니다. 그리고 집에 돌아와서 물감으로 색칠을 하는데, 나뭇잎을 칠한 초록색이 하늘 쪽으로 살짝 삐져나와 있는 것이 아니겠어요? 삐져나온 표시가 크게 나지는 않았지만 그 모습이 거슬린 난희는 이렇게 저렇게 고치다가 결국 그림을 망치고 말았어요. 그냥 두어도 괜찮았을 텐데 말이지요.

① 긁어 부스럼
② 금강산도 식후경
③ 달도 차면 기운다
④ 못 먹는 감 찔러나 본다
⑤ 땅에서 솟았나 하늘에서 떨어졌나

3 다음 대화에 어울리는 속담을 찾아 선으로 이으시오.

(1)
유진: 빨리 들어가서 구경하자.
종현: 배가 고파서 전시물이 눈에 안 들어올 것 같아. 먼저 밥부터 먹자.

(2)
경민: 맛있기는 한데 조금 싱거운 것 같아서 소금을 더 넣었어.
수진: 너무 짜졌네. 괜히 소금을 넣었나 봐.

• ① 긁어 부스럼

• ② 우물 안 개구리

• ③ 금강산도 식후경

• ④ 벙어리 냉가슴 앓듯

• ⑤ 벼 이삭은 익을수록 고개를 숙인다

달걀로 바위 치기

달걀로 바위를 치면 바위가 부서지지 않고 오히려 달걀이 깨지는 것처럼 아무리 대항해도 도저히 이길 수 없다는 의미예요.

이렇게 사용해요!

"부모님께 대들지 마. 네가 아무리 그래도 달걀로 바위 치기에 불과하니까 말이야!"

더 알아보기

- **비슷한 속담**: 바위에 머리 받기

달도 차면 기운다

세상의 모든 일이 한번 번성하고 나면 다시 쇠퇴한다는 의미예요.
언제나 행운만 계속되는 것은 아니라는 뜻도 있어요.

이렇게 사용해요!

"달도 차면 기우는 법이야. 지금 잘 된다고 거만하게 굴면 안 돼."

더 알아보기

- **비슷한 속담**: 달이 둥글면 이지러지고 그릇이 차면 넘친다

문제를 풀며 속담을 익혀요!

1 다음 속담의 빈칸에 알맞은 말을 써넣으시오.

(1) 달걀로 (　　　　　　) 치기
(2) (　　　　　　)도 차면 기운다

2 다음 빈칸에 알맞은 속담을 고르시오. (　　　　)

> " '(　　　　　　　　　　　　　　).' (라)더니, 그렇게 잘 나가던 사람도 어려운 상황이 오는구나."

① 달도 차면 기운다
② 달걀로 바위 치기
③ 접시 물에 빠져 죽지
④ 소 잃고 외양간 고친다
⑤ 발가락의 티눈만큼도 안 여긴다

3 다음 상황에 어울리는 속담을 찾아 선으로 이으시오.

(1) 재원이는 팔씨름을 열심히 연습해서 형에게 시합을 하자고 했다. 하지만 아무리 해도 힘이 센 형을 이길 수 없었다.

(2) 해인이가 좋아하는 가수는 작년만 해도 인기가 매우 많았다. 그런데 올해부터는 인기 순위가 점점 낮아지고 있어서 재인이는 속상했다.

• ① 시장이 반찬

• ② 달도 차면 기운다

• ③ 달걀로 바위 치기

• ④ 아닌 밤중에 홍두깨

• ⑤ 호박이 넝쿨째로 굴러 떨어졌다

대장의 집에 식칼이 논다

칼을 만드는 대장장이의 집에 도리어 식칼이 없다는 의미예요.
어떤 물건이 충분히 있음직한 곳에 의외로 없는 경우를 비유한 말이에요.

이렇게 사용해요!

대장의 집에 식칼이 논다더니, 재봉사의 집인데도 양복 한 벌이 없었다.

더 알아보기
- **비슷한 속담**: 짚신장이 헌 신 신는다

도둑을 맞으려면 개도 안 짖는다

운이 나쁘면 모든 일이 다 풀리지 않는다는 의미예요.

이렇게 사용해요!

"아까는 넘어져서 무릎이 깨지더니 이번에는 지갑을 잃어버렸어. 도둑을 맞으려면 개도 안 짖는다더니……."

더 알아보기
- **비슷한 속담**: 운수가 사나우면 짖던 개도 안 짖는다

1 다음 속담의 빈칸에 알맞은 말을 써넣으시오.

(1) 대장의 집에 (   )이 논다
(2) 도둑을 맞으려면 (   )도 안 짖는다

2 다음 빈칸에 알맞은 속담을 고르시오. (   )

> " '(   ).' (라)더니, 음식점 주인 집에 먹을 반찬이 제대로 없더라."

① 엎어지면 코 닿을 데
② 지는 게 이기는 거다
③ 접시 물에 빠져 죽지
④ 대장의 집에 식칼이 논다
⑤ 도둑을 맞으려면 개도 안 짖는다

3 다음 상황에 어울리는 속담을 찾아 선으로 이으시오.

(1) 연희는 인형을 매우 잘 만들어서 친구들에게 자주 만들어 준다. 하지만 신기하게도 연희의 방에는 인형이 하나도 없다.	① 비단옷 입고 밤길 가기
	② 마파람에 게 눈 감추듯
	③ 대장의 집에 식칼이 논다
(2) 민준이가 조금 전에는 열쇠를 잃어버리더니, 이번에는 영어 숙제를 할 공책을 잃어버렸다.	④ 도둑을 맞으려면 개도 안 짖는다
	⑤ 바다는 메워도 사람의 욕심은 못 채운다

마파람에 게 눈 감추듯

음식을 몹시 빨리 먹어 버리는 것을 가리킬 때에 쓰는 말이에요.

이렇게 사용해요!

"밥 차려 준 지 채 오 분도 지나지 않았는데 마파람에 게 눈 감추듯 먹어 버렸네!"

더 알아보기

• **비슷한 속담**: 두꺼비 파리 잡아먹듯

말 안 하면 귀신도 모른다

하고 싶은 말이 있을 때에는 침묵을 지키지 말고 입 밖으로 내뱉어야 한다는 의미예요.

이렇게 사용해요!

"네가 화가 난 이유를 말해 주지 않으면 나는 전혀 알 수가 없어. 말 안 하면 귀신도 모른다잖아."

더 알아보기

• **벙어리 속은 그 어미도 모른다**: 무슨 말을 직접 듣지 않고는 내용을 알 수 없음을 비유적으로 이르는 말.

문제를 풀며 속담을 익혀요!

1 다음 속담의 빈칸에 알맞은 말을 써넣으시오.

(1) (　　　　　　)에 게 눈 감추듯

(2) 말 안 하면 (　　　　　　)도 모른다

2 다음 빈칸에 알맞은 속담을 고르시오. (　　　　)

> "나는 누군가의 생각을 읽을 수 있는 능력이 없어. 말해 주지 않으면 네가 무엇을 좋아하고 싫어하는지 알 수 없다는 말이야. '(　　　　　　　　　　　).' (이)라는 말도 있잖니."

① 설마가 사람 잡는다
② 마파람에 게 눈 감추듯
③ 털도 안 뜯고 먹겠다 한다
④ 말 안 하면 귀신도 모른다
⑤ 세 살 적 버릇이 여든까지 간다

3 다음 상황에 어울리는 속담을 찾아 선으로 이으시오.

(1) 형욱이는 운동선수답게 음식이 나온 지 십 분도 지나지 않았는데 깨끗이 먹었다.

(2) 지수는 친구에게 자신의 생각을 말하지 않는다. 그래서 친구들은 지수를 볼 때마다 답답함을 느낀다. 지수의 생각을 알 수 없기 때문이다.

① 마파람에 게 눈 감추듯

② 말 안 하면 귀신도 모른다

③ 소문난 잔치에 먹을 것 없다

④ 똥이 무서워 피하나 더러워 피하지

⑤ 사람 위에 사람 없고 사람 밑에 사람 없다

★ 속담 정답

39쪽

1. (1) 개미구멍 (2) 개천
2. ②
3. (1) ⑤ (2) ①

41쪽

1. (1) 식후경 (2) 부스럼
2. ①
3. (1) ③ (2) ①

43쪽

1. (1) 바위 (2) 달
2. ①
3. (1) ③ (2) ②

45쪽

1. (1) 식칼 (2) 개
2. ④
3. (1) ③ (2) ④

47쪽

1. (1) 마파람 (2) 귀신
2. ④
3. (1) ① (2) ②